JN062407

断片的回顧録

燃之殻

断片的回顧録

目次

Pathfinder
14 15
Pathfinder
16 17

四月

四月一日

ソイラテを何年も飲んできて気づいたことがある。ソイラテの味がそんなに好きじゃない。何事にも気づくのが遅すぎる。まともになるには寿命が足りない。

四月四日

昭和五十五年に僕は日記を書いていた。昭和五十五年二月二日から始めて、昭和五十五年の四月四日、今日の日付であっさりつけるのをやめていた。その日記を母がまだ持っていて、実家に寄ったときに渡してくれた。昭和五十五年は、実家の隣にビルが建設中だったらしく、「シャベルカーが怖い」「大きい穴が空いた。怖い」「鉄の長い棒が運ばれてきた。怖い」「揺れた。怖い」と、連日とにかく工事が怖かったことが日記から伝わってきた。「昭和五十五年」という表記を毎日書くことに飽きた、というようなことが最後のほうに書かれていた。なんとなく核心をついているような気がしてハッとしたが、単に馬鹿だったんだと思う。

ウォーター

「最後は水なんですよ」

喫茶店の横の席で、純朴な大学生くらいの青年が、マルチ商法の罠にハマりそうになっていた。細身のスーツの男が早口で説明する「〇〇水の素晴らしさ」について、青年は速攻でメモを取りながら何度も頷いている。あーもうこれは半落ちだなあ、と視界の隅でその様子を確認しながら、僕はさっきから一行も進まない原稿と格闘していた。

その原稿は、あるテレビ局から頼まれたもので、舞台は人里離れた温泉宿から始まる。都会に疲れた主人公は、飲み屋で出会った男の紹介を頼りに、聞いたこともない温泉街にふらふらと出掛けてしまう。鄙びた温泉宿には似つかわしくない若い女将と出会い、様々な不思議なこと（主にエロス）に巻き込まれるという、ほぼ自分の願望みたいな物語を書いていた。その宿の古い大浴場はほぼ小浴場で、硫黄の臭いが薄っすらとしている。タイルの所どころは欠け、シャワーすらない。男湯と女湯にわかれてもいない。つまり混浴だ。湯けむりの奥から、「カコン」と音がする。音がしたほうを主人公が目を凝らしてなんとか見ようとするが、湯けむりが濃霧のように視界を塞いでなにも見えない。湯でじゃぶじゃぶと顔を洗って、音のするほうに目を凝らす。

……そこからが浮かばないのだ。

先日、久しぶりにテレビ東京を辞めたプロデューサーのGさんに会った。Gさんはいま、自分の父親の会社を継ぎ、その合間にテレビドラマやユーチューブの番組プロデュースをしている。

「昨日からドラマ『サ道』の現場に入っててさ」と瓶ビールを手酌で注ぎながらGさんは言った。ドラマ『サ道』は、サウナをテーマにした物語で、僕も毎回録画して欠かさず観ていた。

「サウナってさ、何が決め手かわかる?」

Gさんはとにかく研究熱心な人で、僕の知り合いの中でも真面目度でいえば一位二位を争う。

「清潔感すか?」

僕はぼんやりしたことしか思いつかない。

「違うよ。水なんだよ、水」

「水?」

「やっぱり山梨とか新潟とか四国が良いね。水の良いところのサウナは良いよ。ずっと入っていられるんだ。あと東京の銭湯でも、井戸から水を汲んでいるところは良いんだよ」

ガチガチの水道水を使ったサウナしか入ったことがなかった僕は、Gさんのお勧めサウナを帰りしな何軒か教えてもらった。


喫茶店の横の席で話していた細身のスーツの男が、床に置いていた紙袋の中からテーブルの上にドン、ドンと大きな音を立てて、ペットボトルを並べていく。

「とりあえず、この水を差し上げますので、飲んでみてください。一週間すると体調の変化に気づきますから」

大切そうに受け取った大学生らしき男は、まるで宝石でもしまうかのように慎重に自分のリュックに入れていく。その様子を見届けて、僕はもう一度原稿に戻る。

人里離れたその鄙びた温泉宿は湯布院にするのはどうだろう。湯けむりの奥から「カコン」と音がする。主人公はゆっくりと音がするほうに歩を進めてみる。だがそこには誰もいない。仕方なく湯船にゆっくりと肩まで浸かることにする。「はああ」と大きなため息のような声を漏らす。すると湯けむりの向こうに、ゆらゆらと揺れる人影のようなものに気づく。恐怖は感じない。主人公は全身の力を抜いて、浮かぶように湯に浸かる。すると湯けむりの向こうから、陽炎のような女の声が聞こえてくる。

「この湯を一口飲んでみてください」

主人公はもう従わざるをえない。

そこまで書いて我にかえった。隣の席の細身のスーツの男と大学生らしきカモの姿はもうなかった。窓の外の電線が揺れている。風の音。僕はコーヒーのおかわりを断って、店を出ることにした。

四月十八日

桜は賢いな。ちゃんと飽きられる前に散るんだから。

四月十九日

個性を無理やり見つけなくても、夢や希望がなくても人は死なない。
今日は寝よう。寝ないと人は死ぬ。

四月二十二日

スーパーマーケットの前のガードレールに繋がれていた柴犬に二度見された。エサっぽかっただろうか。

四月二十三日

中野の風呂なしアパートに二十年とちょっと住んでいる友人がいる。彼とは同い年だ。彼は命の危機が訪れるまで頑なに働かない。本当に腹が減らないと飯も食わない。玄関のドアはこの二十年とちょっと、閉まっていたことがない。

僕はいつも通りドアを開ける。俺だよ、と声をかけると「おー、MTVでも観ていけよ」と万年ごたつに入ったままの彼が声をかけてきた。彼の唯一の自慢はMTVに加入していることだ。

四月二十四日

これからは一回でも多く褒められたいと思っている。褒められながら死んでいきたいとすら思っている。二十代、三十代はとにかく怒られることが多かった。最近その頃によく怒鳴りつけてきたディレクターに「ごめんな、あの時さ、寝不足だったんだ」と詫びられた。寝不足だったから怒鳴りつけられる場所で生きてきた。まずはそこから褒められていい気がする。

四月二十五日

日々は不条理の塊だ。浮腫んだ早朝の自分の顔面。安定とは縁のない仕事ばかりに手を出す自分。ネットの現金プレゼントをやる最低に悪趣味な連中。不条理だ。だんだんと慣れていくしかないのだろうか。疲れると綺麗事を言いそうになる。いまもう言ったかもしれない。

四月二十七日

グズグズしていたあの頃のままだったら、いま一体どうしていただろうとたまに怖くなる。でもまあ、それはそれでヘラヘラとやり過ごしていたのかもしれない。知らなければ知らないで生きていける気がする。

四月二十八日

あらゆる一発勝負に弱い。殴り合いの喧嘩はしたことはない。殴られたことは何度かある。受験もまったく向いていなかった。入学金を払うと全員合格の専門学校に入った。就活はしたことがない。アルバイトで入った会社で「後輩が入るからアルバイトって訳にもいかないだろ?」と言われて正社員になった。人生、逃げに逃げてきた。逃げた先に思いもよらない出会いがあった。失敗の先に待っていた人がいた。「運命」という言葉は過去形がよく似合う。

「あれは運命だった」

最後にそういえば、だいたい収まるような気がしている。

Hockney
Poster

五月

五月三日

打ち合わせ中「今のままでいいことなんて本当はなに一つない」と口走ってしまい、仕事量を倍にしてしまう。

五月四日

高校時代、友達も恋人もいなかった。だから帰りはやけに早かった。毎日夕方から放送していた『あぶない刑事』の再放送には必ず間に合ってしまっていた。『あぶない刑事』が終わったら、柴犬のジョンの散歩にいくのが日課だった。散歩中、よく今日あったことをジョンに話した。ジョンは、僕の話の途中にいきなりうんこの体勢に入ったりしていたが、基本的には話をよく聞いてくれた。そんなジョンは、僕が専門学校に入る頃には年老いて、一日中ダンボールの上に敷かれた毛布の上で過ごすようになる。眼球も薄っすら緑色になり、食事も口にしなくなっていった。

ある夜、「ワン！　ワン！　ワン！」と久しぶりにジョンの鳴き声が聞こえた。異変を感じて見に行くと、窓ガラスが割られ、泥棒が侵入した形跡があった。ジョンは窓ガラスの近くで、パタリと倒れていた。最後の力を振り絞って吠え、泥棒に立ち向かおうとして力尽きていた。母がジョンをさすりながら泣いている。僕も泣いていた気がする。金目のものは全部取られていた。僕の青春時代の一番の話し相手。僕たちを守ってくれた、もうひとりの家族。今日はジョンの命日だ。

五月五日

自分にとっては最悪の人でも、誰かにとっては最高の人だったりする。そんなことをぼんやり考えていた。自分にとっては最悪の人と仕事をしながら。

五月十一日

ファミレスでごはんを食べているときも、コンビニのレジに並んでいるときも、ここで働けるかな？　と考えてしまう。ファミレスの店員さんが手に持っているリモコンみたいな機械を使いこなせる自信がない。コンビニに至っては、あまりにやることがたくさんあって絶対無理な気がする。神谷町のファミリーマートの店員さんは、ほとんどが東南アジア系の人たちだ。彼らは本当にテキパキとよく働く。敬語の受け答えも完璧だ。高校生のとき、地元のコンビニの面接に二度落ちた自分とはモノが違う。

五月十三日

優柔不断という基本的に欠点として扱われる性格が、自分を救ってきてくれたような気がしている。先輩も後輩もガンガン辞める職場で働いていた。みんな辞める理由はいろいろだったが大体の場合、一理あった。

とにかく僕は決断力がない。なんとなく続けてしまう。誰かが辞めるたび、優柔不断で踏み切れないまま残ってしまった。気づいたら二十年が過ぎていた。ベストな選択だったかは自信がない。ただ、優柔不断だったから、出会えた仲間と出会えた仕事がある。

五月十四日

テレビ局界隈でも、まだゴルフ接待の風習が残っている。「ナイッショ！」みたいな景気のいい声を出さないといけないらしい。物を書いて食っていくということは本当に儲からない。とある芸能事務所が、七割持っていくことが記事になっていたが、物書きは必ず九割持っていかれる。最初の小説が多少売れたので、ワクワクしながら入金を待っていたが、結果からいえば、本業を簡単に辞めることができないことがわかった。ベストセラーを年に一回コンスタントに出していく作家は、日本に何人いるのだろうか。ほとんどの場合、一生に一回もない話だ。一生に一回が起きたとしても、一流企業の部長くらいの年収が振り込まれて終わりだ。そう考えると「ナイッショ！」と景気のいい声を張り上げるべきだったかもしれない。

五月十七日

嫌味と値切りしか言わないクライアントのデスクに、ディズニーランドで撮ったであろう家族写真が大切に飾られていた。だからなんだというわけじゃないが、みんな事情を抱えて生きている。

五月二十二日

仕事場で、マ・マーのミートソース缶でミートソーススパゲッティを作った。母はとにかくよく働く人で、夕飯はマ・マーのミートソース缶の時が多かった。その頃は「えー、またー」と母の疲れも知らずに文句を言ってしまっていた。でも今はその味を口にすると、あの頃の食卓を懐かしく思い出す。全国のコンビニにおふくろの味が置いてある。ちょっとお得かもしれない。

六月

六月一日

午後に「謝罪」という仕事が一件あった。言いたいことはあったが耐えることにした。それはそれは立派に自分ごとにして謝ってみせた。

六月三日

友人がまた仕事を辞めてしまった。彼はとにかく何事も続かない。いいやつだけれど根気がない。根気はないが繊細だからタチが悪い。微調整で乗り切るしかないよ、みたいな話を彼にはした。ビジネス書では一発で否定されそうな話だと思うが、正直なところ僕にはそれしかない気がしている。

「微調整で乗り切るしかない」

ピッタリの職はなかなかない。職どころか、今履いている靴すらちょっときつくて靴づれができている。ピッタリは難しい。ピッタリのタイミングで飯を食うことも難しい。そのときにピッタリの食べたいものが出てくることも稀だ。自分にとってピッタリの相手もまた然り。嫌じゃないくらいいから始めて、微調整をしていくしかない。

六月四日

好きな人のスマートフォンを覗き見て、「やっぱり覗いて良かった」と帰還した人類はまだ一人もいない。肝に銘じてほしい。まだ一人もいないのだ。

六月十日

インターネットがあったから、僕は知らない誰かに見つけてもらえた。その中の一人は、出版社の編集者だった。インターネットに一度、僕は救われた。でもそのあとに、書籍のレビューやネット記事などで、あることないこと（正直あることのほうが多かったけれど）散々書かれることになる。幸せと不幸の総量は変わらない、と誰かがいっていた。そんなことはないよと思っていたが、そうなのかもしれないと最近思っている。

六月十一日

常識ってなんだろう。「それはさ、お前、常識だぜ」と呆れられるように言われた。常識。大多数の平均値。大多数を統制するのにもってこいの物差し。その瞬間、大多数に吹いた風。別にそれは常に自分にとっての正解じゃないはずだ。追い風のときも、向かい風でも進みたい方角がある。

六月十五日

十年以上前「ミスチルおじさん」と呼ばれていた人がいた。「ここだけの話、「Tomorrow never knows は俺が作ったんだ」と酔うと毎回言う人だった。あの頃よく飲んでいた人と、ミスチルおじさんの話になった。懐かしいな、としみじみとした。時間はどんなに下らない出来事も思い出に変える。

六月二十日

集団から逃げ出そうとする人間にどうしても肩入れしてしまう。自分が逃げ切れなかったからだろうか。

六月二十二日

担当編集が、自宅近くで野良猫に餌付けをしているらしい。「ナベシマ」という名前まで付けて可愛がっていると言っていた。先日、担当編集が商店街を歩いていると、ナベシマを目撃したという。尾行するように後を追うと、肉屋の主人に「みーちゃん」と呼ばれていたと悲しんでいた。人がときどき「猫になりたい」とつぶやいてしまうのは、そういうところかもしれない。

六月二十三日

あまりにも失敗を恐れる人は、実は大きな失敗をしたことがない気がする。ずっと恥ずかしがり屋の人は、本当に恥ずかしい思いをしたことがない人なのかもしれない。少なくとも僕はそうだった。そして取り返しのつかない失敗と、思い出しても顔から火が出るほどの恥ずかしい思いをしたあと、人生がカチッと音がするみたいに動き出した気がする。

六月二十四日

駐車場に停まった黒いアメ車から赤いミニスカートの女性が降りてきた。彼女の長い脚をチラチラと目で追いながら、昨夜、NHKBSでやっていたメキシコ麻薬戦争の特集番組のことを思い出していた。

六月二十八日

信じられないことに結末も決めないで、小説の連載を始めてしまった。『これはただの夏』というタイトル。どうなることやら。さらに週刊誌でのエッセイの連載も始めてしまった。週刊誌の〆切は毎週だ（当たり前）。昔、週刊少年ジャンプを読んでいたとき、次が読みたくて、日刊にしてほしいと思っていた自分を鈍器で殴りたい。そこに原作の仕事を二つ追加しようとしている。どうしたんだろう。高校のとき、いかに働かないで生きていくかを真剣に考えていた罰だろうか。罰として今日も原稿を書いている。

七月

七月三日

深夜に表参道でタクシーをつかまえた。「今まで乗せた客で、一番緊張した客ってどんな客ですか？」暇すぎて、運転手にぼんやりとした質問をしてしまった。運転手はしばらく考えて「そうだな、死んだ父親かな」と言った。

もうすぐ本格的な夏が始まる。

七月四日

生きづらいのはもはや個性だと思おう。

ジョン

生涯、お手すら覚えなかった頑固な柴犬ジョンとの散歩がなかったら、中学時代の自分はマズかった。マズかったということを他の言いかたでいうと、命を絶っていた気がするということだ。ジョンとの散歩中、必ず寄る公園があった。その公園で僕はしばし、ベンチに座ってジョンとの雑談を楽しんだ。最近あった嫌だったこと、面白かったこと、悲しかったこと、やっぱり嫌だったこと。嫌だったことが多めだった気がする。ジョンはお手すら覚えなかったが、僕が話しているときは、静かに黙って聞いてくれた。いま考えても、あれほど僕の話を静かに聞いてくれた人はいない。ジョンは人ではなかったが、僕にとってはほぼ人だった。ジョンに話すことで日々の不条理をやり過ごすことができた。

あるときジョンが怪我をしたので、動物病院に連れて行ったことがあった。左足に包帯をグルグル巻いて、いかにも痛々しい感じだったので、僕は抱っこをして帰ることにした。動物病院を出てすぐのところで、ジョンは僕の腕の中で暴れ始め、脱走を試みる。包帯を巻いた左足が、僕の顔あたりを引っ掻いて、思わず手を離してしまった。自由の身になったジョンは、歩道を一目散に走って逃げる。左足には包帯を巻いたままだったが、ジョンは振り返ることなくドンドン加速して遠のいていく。僕は「バカジョン！」と大声をあげながら、ダッシュでジョンのあとを追いかけた。ジョンが交差点に差し掛かる。軽トラックが轢く寸前で急ブレーキをかける。その後ろを走っていたタクシーが、急ブレーキをかけた軽トラックにクラクションを短く鳴らした。僕は軽トラックの前を走り抜け、ハアハアと全身で息をしながら、ジョンを必死に追いかけた。

「これ、骨にヒビいっちゃってるね」

医者はレントゲンの僕の小指部分を見ながら面倒臭そうにそう言った。今年の夏の初めのことだ。包帯をぐるぐる巻いて、僕が整形外科から出ると、おじいさんが信じられない速さで通り過ぎて行った。珍しい光景なので、街ゆく人がみんな振り返って二度見している。僕も思わずおじいさんの視線の先を追ってしまう。すると首輪に付いた紐を引きずりながら柴犬が全速力で走っていくのが見えた。若いサラリーマンが、その紐をヒョイっと掴んで、柴犬の脱走劇はあっさりと幕を閉じる。その事の顛末を追っていた街ゆく人たちも、安堵したように各々の人生に戻っていく。僕もそれを見届けて、地下鉄の入り口のほうへ歩き出す。

地下鉄に揺られながら、あの日包帯ぐるぐる巻きの足で、走って逃げたジョンの姿を思い出した。運良く座れた地下鉄でうつらうつらとしていたら、ジョンの気持ちになっていた。あのとき、ジョンは逃げ切りたかったのかもしれない。アスファルトの都会を超え、どこか遠くへ。無茶な話だが、どこまでも続く草原のような場所まで逃げ切りたかったのかもしれない。もう一度、ジョンに会いたい。あの世の事情は知らないが、いつか本当に話してみたい。そのときは世話になったお礼も込めて、ジョンの聞き役に徹したい。

七月二十日

こんなに疲れているのに、来年還暦を迎えるプロデューサーの「俺、女だったらヤリマンになっていたと思うんだ」で始まる話を聞いている。

七月二十一日

山手線、座れた。隣は大荷物のカップルだった。女のほうが「この車両で、今日これからハワイに行くの私たちだけかな?」と言ったのを聞いてしまった。僕は次の五反田で降りた。そのあとは、四谷三丁目で謝罪、汐留で打ち合わせだった。夜は新橋で、一杯目が百円の店でりんごサワーを飲んだ。二軒目でテレサ・テンを歌わされた。

七月二十三日

定期券は社会人を始めた時からずっと一ヶ月分しか買わない。半年分買ってしまうと、数字が遠過ぎて社会から脱線しそうになる。一ヶ月なら、なんとかやり抜けられる。その集積が二十年とちょっとになった。

七月二十四日

中学の三者面談、僕は担任に「高校には行かず、パン職人になりたい」と告げた。理由は粘土をこねるのが好きだったから。母はそれを聞いて、その場で泣き出してしまった。担任は、「お前な、いい加減にしろ。粘土とパンは違うだろ」と言われた。そんなことはわかっている。だけど、よくわからない書類を作ったり、売りたくも買いたくもないものを、生まれた時から好きでしたみたいな顔して売る人間に僕はなれない、と告げてしまった。母はさらに泣いて、担任はさらに怒った。「俺のクラスから高校進学をあきらめた奴を出すわけにはいかない！」と最後は、もう大人の事情がダダ漏れの激怒になり、僕は中の下の私立高校に推薦で入ることになった。だから高校には最初からまったく執着がなかった。クラスの連中は、その頃流行っていたMCハマーの真似をしたりしていたのを覚えている。逆にいえば、それ以外はほとんど覚えていない。

七月二十六日

海の家でアルバイトをしている大学生が、一夏で二桁の女子大生と関係を持ったという話をしているテレビ番組を、行きつけの中華料理屋で店主と一緒にジッと観ていた。店主が、漫画みたいな舌打ちをした。先日、担当編集者から、年間に出る出版物の数を聞いた。森林破壊が心配になる量だった。追いつけない数字に囲まれながら、僕たちはただ生きている。

入口

七月二十八日

うまくいかなかった経験よ、血肉となれ、もしくはなかったことになれ。

七月二十九日

「亡くなった息子からかかってきた振込詐欺の電話」というなんとも言えない、こわ切ないニュースを目にして、まだ名前のついていない感情になった。

七月三十日

チェーンの居酒屋で今をときめくミュージシャンと焼き鳥を食べた。その人が今をときめかない時によく一緒に行った店だった。あの頃さ、なんて話ばかりをした。恋愛話、エロ話、悪口、エロ話。エロ話多めで四時間がすぐに過ぎた。なんとなくだが、もう会えない気がした。もし会うなら、僕がよっぽど頑張らないといけない空気が出ていたからだ。「いやいや真の友ならそんなことはないよ」と人から相談されたら僕でもそう答えるが、いざ当事者になると、それが綺麗事だとわかる。今は一回さよならなんだ、ということがわかる。

あの頃はよかった、なんて一番馬鹿らしい話をふたりでした。途中、あっちは客に気づかれ、サインをするはめに。僕はその光景を見ながら、最終回なんだなとしみじみと思った。いつが幸せだった？ と聞かれたら、ずっと幸せだったような気がする、と答えられるような人生を送りたい。呑気で色ボケで金に執着なんてなく、よく笑ってよく泣く人生を送りたい。つまりだから、それはあの頃みたいなことだったんだと思う。

八月二日

哀しみにも可笑みにも「あーあれみたいな感じか」と多少この世に慣れてしまったことが悲しい。

八月四日

「歌舞伎町をテーマに原稿を書いてくれませんか?」そういう内容のメールが届いた。本業のシフトの入り方がエグいのと、週刊連載の〆切がヤバいのとで、一度お断りをさせてもらった。ただそのメールを送ったのが、歌舞伎町のビジネスホテルだったこともあり、やっぱり引き受けることにした。内容はちょっと変えるかもしれないが、起きがけに書いてみた。いいものかどうかわからない。迷走している感じが歌舞伎町ぽくて良いような気もしている。

夕暮れの歌舞伎町を母と歩いた

僕が生まれて初めて生で観たライブは『藤田まことショー』だった。場所は新宿コマ劇場。僕は十七歳だった。尾崎豊が『十七歳の地図』を作った年に、僕は『藤田まことショー』を母と観ていたことになる。反抗期をちゃんと迎えられなかったからなのか、今でもぐずぐずしながら生きている。あれからずいぶん時間が経った。藤田まことがこの世を去り、新宿コマ劇場も今はもうない。跡地には、ゴジラが定期的に奇声を上げるホテルが建っている。僕はそのホテルの一室で、いまこの文章を書いている。

十七歳の頃、中村主水役の藤田まことに夢中だった。今考えても渋すぎる十七歳だった。渋すぎて友達がいなかった。同年代は、ロボコップとかビバリーヒルズコップが好きだったと思う。コップ的なものが流行っていたのかもしれない。必殺好きとしては、深作欣二監督『必殺4』がその頃の推し映画だった。伊勢佐木町から一本入ったところにあった関内アカデミー劇場で、ボロボロ泣きながら『必殺4』を観た。その関内アカデミー劇場すら今はもうない。

母と観た『藤田まことショー』は絶品だった。藤田まことの剣劇あり、歌あり、トークありの充実の内容。幕間には藤田まこと弁当を母と食べた。ショーが終わって、外に出ると歌舞伎町はもうすっかり夕暮れで、歓楽街といった風情。母は「あまりキョロキョロするんじゃないの」と僕を戒める。僕は街ゆく大人たちに目を奪われていた。『藤田まことショー』を観たあとだからか、すこし自分も大人になったような気がした。キャッチのおじさんが、声をかけまくっているのが前方に見える。僕が目の前を通り過ぎるとき、なんだガキか、という目でスルーされた。僕は初めて早く大人になりたいと思った。母は「キョロキョロしないの」と大通りに出るまで、繰り返し小声で僕に訴えかけていた。

あれから月日が流れて、僕は東京で一番落ち着く場所が新宿歌舞伎町になった。昼間の仕事をしながら、物を書く仕事を始めて、ビジネスホテルによくこもるようになった。場所は決まって新宿歌舞伎町。猥雑な街のネオンを見ながら、静かで狭いホテルの一室で、カタカタと原稿を打ち込んでいくのが一番集中できる。

僕をこの世で最初に褒めてくれたのは祖母だった。

「お前の作文は面白いねえ。まずあれだ、行ってもいない場所の思い出を書いているところがいい」と、ゲラゲラ笑いながら褒めてくれた。祖母は飲み屋を営んでいた。その一杯飲み屋のカウンターで作文を書いて、よく祖母に見せていた。嘘ばかりを書いた旅行記が、その頃の自分の中ではブームだった。飲み屋の客のだいたいは、国鉄勤務の白髪混じりの男たち。僕の作文を読んで「おい、いつ車に乗れるようになったんだ?」と頭をガシガシ撫でまわされながら笑われた。僕は小学三年生の作文で、車を運転して伊豆七島を旅する話を書いていた。僕の中では、伊豆七島は全部道路で繋がっていて、そこを軽トラックで旅をしたことにしてしまった。途中、クジラと遭遇したり、小判をたくさん貰ったりする奇想天外な旅行記だった。祖母と飲み屋の客には好評だったが、担任教師には不評だった気がする。

話が飛んで申し訳ない。ここが新宿歌舞伎町で、今がちょうど二十二時だからかもしれない。これを書き終わったら、僕はホテルを出て、歌舞伎町に繰り出すことにしている。きっとすぐに怪しいお兄さんたちにつかまって、「今日はどうですか?」なんて声をかけられるだろう。「今日は大丈夫っす」と言いながら、僕はいつもの店の暖簾をくぐる。なにも言わなくても、店主の作ったキャベツの酢漬けと濃いハイボールが、テーブルに並べられるはずだ。そのとき、カウンターの奥に必ずいる正体不明のおっさんがニマニマ笑っていることまで、もうわかっている。

歌舞伎町の猥雑さは、とにかく僕を安心させる。『必殺4』を観た関内アカデミー劇場の、あの心地よい闇の中にいる気分になる。一杯飲み屋のカウンターで、作文を書いていた自分を思い出す。新宿コマ劇場の跡地にできたホテルの一室で、いまこの文章を書いている。母と歩いたあの日の夕暮れの歌舞伎町の空気を思い出しながら、いま原稿を書き終えた。

MENU

八月二十二日

高校生になったときに、祖母からカレンダーをもらった。祖母がよく行く精肉店が毎年配っているカレンダーだった。僕はそれを自分の部屋の壁に貼って、入学式の初日、家を出る前に油性ペンで大きく日付にバツをつけた。その作業は三年間サボらなかった。僕は高校に行きたくなかったのだ。

八月二十三日

町田の外れにある専門学校に講師として行った。授業らしきものが終わって、教室を出ようとすると、一人の生徒が近づいてくる。何か質問かな？　と思ったら、彼はいまいじめにあっているという。それをどうにかしてほしいとかじゃなく、知ってほしかったといってそのまま俯いてしまった。僕は自慢じゃないが、昔いじめられていた。さらに自慢じゃないが、しばらくその事実に気づかなかった。朝、クラスに入ると自分の机に花瓶が置かれていたことがある。僕はなんか得した気分になって、少し花瓶を右にずらし、受付嬢気分で授業を受けた。この話は彼にもウケた。

八月二八日

今日はよかった。全部よかった。人の目なんてどうでもよかった。

九月

九月一日

「あの人の代わりはいません」とか「あんな人はもう二度と出てこない」は本当かもしれないが、今日もなんの遜色もなく世界はまわっている。じゃないと生きていけないでしょ、と一緒に葬儀に出た同期に言われた。自分の悲しみが昨日より若干薄れていることが悔しかった。僕にも代わりがきくのかと思うとやるせなかった。代わりがきく僕と、代わりがきくあなたが出会って、人には言えないようなことをしたことも、そのうちすべて忘れてしまうのかもしれない。それはそれでいいのだけれど。

九月五日

遠距離恋愛をしている友人が「距離を置きたい」と言われたという話に癒された。

FamilyMart
酒 たばこ

九月六日

「フジロックを楽しむような大人になりたかった」と担当編集に愚痴った。「わたしはクラブで音楽に身を任せて踊るような女になりたかったです」と愚痴を返された。ネットでジュリアナ東京のボディコンギャルの写真を検索。そこに写っていた彼女たちはいま、どうしているのだろうか。

女ぎつね on the Run

中途半端な偏差値の私立高校生だった僕は、教室では必ず窓側の後ろから二番目の席を確保していた。席替えだと言われても、必ず後ろから二番目の席を死守した。

「あいつはああいうヤツだから」

そう言われて煙たがられていたので、誰も強くは言ってこなかった。だけど「ああいうヤツ」になってしまったことにより、友達は誰もいなかった。

その日もいつも通り教室の窓を数センチだけ開けて、授業は上の空で、校庭を眺めながら過ごしていた。袖の中にイヤフォンのコードを通し、制服の内ポケットに忍ばせたウォークマンの再生ボタンを押す。頬杖をついているフリをしながら、イヤフォンを左耳に差し込む。数センチ開いた窓から、金木犀の匂いがすこしだけ香っていた。静かな風が吹き込む。ところどころ黄ばんだカーテンが微かに揺れる。古文の教師は、本当は小説家になりたかった、というような話をその日熱心にしていた。古文とはまったく関係のない、アメリカ文学の素晴らしさについても熱く語っていたのを憶えている。

前の席に座っていた女の子がおもむろに振り返り、無言で校庭の隅にあるプールのほうを指差す。僕は頬杖をついた姿勢を保ちつつ、彼女の指差すほうに目をやる。フェンスをよじのぼって、プールの敷地に入ろうと試みる男子が、数名確認できた。彼女は口元を抑えながらニヤニヤして、声を出さずに笑った。左耳からはバービーボーイズの『女ぎつね on the Run』が、かかっていた。1989年の秋のことだ。

彼女は自分の左耳を指差し、口の動きだけで「なに聴いてるの？」という。僕は左耳に突っ込んでいたイヤフォンを抜く。左腕をそのまま伸ばして、彼女の耳にイヤフォンを差し込む。左手が彼女のショートカットの髪に触れる。数センチ開いた窓から、今度は強い風が吹き込んできた。カーテンが、ババババババと音を立てて暴れ出し、クラスの何人かがこちらに注目する。熱心に自分の夢を語っていた教師も、カーテンの動きに合わせて目をキョロキョロさせてから、最終的に僕と目が合った。僕はもうそのときには、彼女の耳から手を離していたし、彼女もなにもなかったかのように前を向いていた。

今朝、三軒茶屋の近くを歩いていると金木犀の匂いが一瞬だけ香った。iTunesから『女ぎつね on the Run』を検索して、再生を押してみた。

九月十一日

つくづく思う。「わからない」と認め合ってから、人と人とは始めるべきだ。

九月十三日

うさぎとカメでいったら、カメタイプなのに、うさぎ並みに昼寝をしてしまった。担当者から「どうですか?」とメールが入っていた。返信しようと左手にスマートフォンを持ちながら二度寝してしまった。もう一度目を覚ますと「生きてますか?」とメールが届いていた。

もういっそ死んだことにしてくれないだろうか、と思ってまだメールを返していない。

九月十九日

「カバンの中身を見せてください」「好きな映画を紹介してください」「好きな音楽を教えてください」という、思春期に受けてみたかった取材ベスト3を受けてきた。思い出作りほぼ完成だ、と友人に話すと、「そんな取材受けたいと生きていて一度も思ったことないよ」とあっさり言われた。え、男ならニューアルバムを引っ下げて「カウントダウンTVをご覧の皆さま、こんばんは」とやるのが夢で、女なら自分の写真集を出版して「スペイン語で愛情という意味です」とか言いたいんじゃないの？　と問うたら、そんな訳ないじゃんとあっさり返された。他の人に聞いても、別にそんなもの受けたいと思ったこともないと口を揃えていう。もしかして、やはり自分は承認欲求のバケモノなのかもしれない。どうしよう。
仕方ない。バケモノにもってこいの職業に就いていた。

十月

十月十日

一日テレビを観て終わった。きっと来年にはまったく憶えていない一日になった。

十月十三日

深夜に便所が詰まって業者を呼んだ。業者の人は道具を持ってひとりで来て、手際よく直してくれた。ウチの次は、居酒屋の便所の詰まりを直すことになっているらしく、ダッシュで帰っていった。久しぶりに深々と頭を下げた。本当に助かった。先週「スターウォーズみたいな映画を撮りたい」といって辞めていった後輩を意味なくぶん殴りたい。

十月十五日

メルカリで自分の小説が売りに出されていた。正直さほど悲しくない。どこかの誰かが、読んでくれたんだろうな、くらいの気持ちしか湧いてこない。ただ今日見た出品物には、自分のサインが入っていた。これまた、悲しいのか嬉しいのか、よくわからない心境だ。頑張ろう。そこにも理由はないが。

十月十八日

仕事関連で、霊能者という職業の人に会った。銀行員の顔がだんだん銀行員になるように、霊能者と呼ばれる人はやっぱり霊能者風情だった。「あなたは気を遣い過ぎています」と霊能者は僕に言った。ちょっとそこに寝てもらっていいですかと言われ、仰向けに寝るとお腹に手を当てて、なにかをプツプツ唱え始める。「だんだんお腹あたりが温かくなって、眠ってしまいますよ」と言い、さらに何かをプツプツと唱え始めた。正直まったく眠くならなかった。でも周りにはスタッフもいるし、霊能者のアシスタントもいた。僕は頃合いをみて、渾身の寝たフリをしてみた。霊能者が言うように、きっと僕は気を遣い過ぎている。

十月二十一日

人と比べても救われないので、過去の自分と比較する。「まあ、それでしかなかったよな」と自分を慰める。ときどき立ち止まって自分を正当化することにしている。前に自分が住んでいたアパートや、働いていた事務所の近くまで行ってみる。あの頃の自分を思い出したいのかもしれない。慰めたいのかもしれない。

十月二十二日

高校時代。放課後になると、どの階層の生徒もイトーヨーカドーに行った。不良はイトーヨーカドーの中にあるゲームコーナーを占拠する。カップルは地下のフードコートで、ゴムみたいなたこ焼きをわけあって食べていた。屋上には小さな遊園地みたいなものがあって、その他の生徒たちはだいたいそこで時間を潰すことになる。屋上の一角には熱帯魚屋があった。僕はそこで金魚を買ったことがある。そこのオーナーが大麻栽培で逮捕されたのを知ったのは、社会人一年目くらいのときに読んだ朝日新聞の朝刊だった。先日、友人からそのオーナーが神保町の古本屋で働いていると聞いて、様子を伺いに行ってみることにした。昭和の週刊誌がうず高く積まれた店内を、掻きわけるようにレジの近くまで行く。
「その男なら一週間前にいきなり来なくなったんだ」とオーナーらしき人は呆れたように言った。

十月二十三日

明日、僕たちがどうなるかなんて誰にもわからない。わからないということだけはわかっている。

十月二十四日

歴史の授業を大づかみにしか憶えていない。何年に何の乱があったかは、まったく憶えていない。ただ、人間がまったく学ばない生き物だということを世界史の教師は何度も何度も繰り返し言っていたのは憶えている。

十月二十五日

「わかりました」と言ってそのままにする、みたいなことを多少やっていかないと潰れてしまう。今日二度、わかっていないのに「わかりました」と言った。

十月二十九日

お金を稼ぐのは、競馬やパチンコなどの賭け事をやりたいからではない。風俗も無駄に気を遣うので向いていない。欲しいものもさほどない。海外旅行もとんと行かない。パスポートもとっくの昔に切れてしまっている。酒もいうほど飲んでいない。ただ、風呂の時間は大切にしたい。なので追い炊き機能の付いている家以外には住みたくない。ユニットバスなどもってのほかだ。それを死守するために僕は働いている。

十月三十日

安い赤ワインをジンジャーエールで割って飲んで酔った。いい日だった。人生を振り返ったら、そんな感じの感想だけでいいと思うほどいい酔いかたをした。

PROFESSIONAL
QUALITY

十一月

十一月二日

大きい地震がきたらどうしよう。楽しいときにふと思って、口に出してしまう。

十一月五日

ビジネスマナーに、エクセル入門、写真の撮り方、英語の実践講座。憶えるための技術は世の中に溢れている。でも今夜ほしいのは忘れるための技術だ。どうか今日の出来事が起きる前の自分に戻してください。

十一月十日

千代田線で人目もはばからず泣いている女性がいた。彼女の左隣りに座っている若いサラリーマンは、スマートフォンを見ながらチラチラと彼女を見ているだけだった。赤坂駅から乗ってきたおばあさんが、彼女の前に立つ。彼女は席を譲ろうとして席を立った。おばあさんは彼女の異変に気づいたらしく、ハンカチを渡す。僕はちょうど真向かいの席で、すべてのタイミングを逸した。霞ケ関で、彼女は降りていった。彼女はおばあさんとなにか話して、ハンカチをもらったみたいだった。濡れた折りたたみ傘を持っているサラリーマンが閉まりかけたドアからスルッと入ってくる。地上は雨が降ってきたみたいだ。

十一月十一日

世の中には「会議を減らそう」ということを決める会議が存在する。

十一月十二日

新宿二丁目の真夜中だけやっている定食屋で、ハムカツ定食を食べた。隣に座った自称ホストのおにいさんの手の甲には、ト音記号のタトゥーが入っていた。

「人間っていうのは生きているあいだ中、ずっと寂しいんだよ。だからどんな子にも寂しかったね、て言ってあげればいいんだ」とホストの極意を教わった。なんとなく瓶ビールを一本奢ってしまった。さすがホスト。ト音記号を触らせてもらう。ビールをグラスに注ぎながら、「寂しかったね」なんて冗談ぽく彼に言ったら、げらげら笑ってくれた。

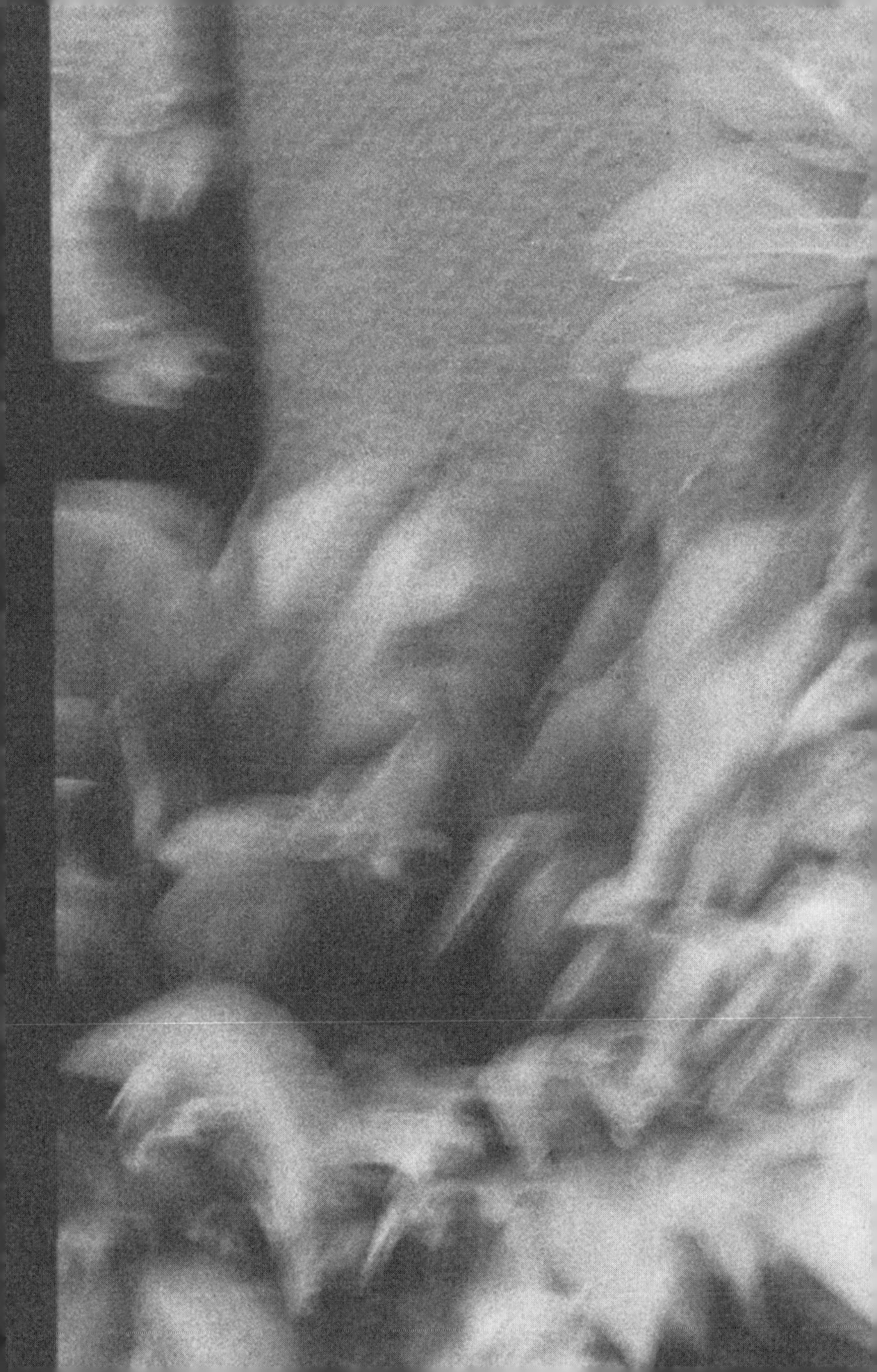

なんとか生きている

「伏線がきれいに回収されていない」

とあるネットの映画評にそう書いてあった。理由は他にもあるみたいだったが、とにかく最低ランクの評価が下されていた。その映画を一週間前にたまたま観た。伏線はまばらに回収されず、物語は突然プッツリと終わる。映画としてはダメなのかもしれない。小説ならどうだろう。小説でもこの間、とある大きな賞を獲った作品に対して、「伏線回収が中途半端だった」なる意見がSNSにいくつか流れていた。好みはあると思うが、決着つけてよ派が一定数いるのかもしれない。

今朝、道玄坂を歩いていると、救急車がものすごいスピードで横を通り過ぎていった。歩道を歩いていた女子高生のふたりが、サイレンの声真似をして「ウ〜ウ〜」と陽気におどけて手を叩いて大笑いをする。ちょうどそこに白い犬を連れて散歩していたおばあさんが通りかかる。白い犬は「ウォー！　ウォー！」と大きな遠吠えのような鳴き声をあげた。その犬の姿を見て、女子高生のふたりがもう一度手を叩いて大笑いをする。早朝からガールズバーの呼び込みのために路上で立っていた女の子も笑っている。そのとき、僕はポケットの中で遊んでいた百円玉を見つける。

ここまで書いても伏線を張ってもいないので回収もなにもない。ただ、僕は道玄坂でその光景に遭遇して、なんとなく嬉しかった。そんなことの連なりで、生きてみようかと思うのかもしれない。

イケメンという安易な言葉で表現したくなるようなイケメンな知り合いが、先日自殺未遂をした。彼が心を病んでいることは仲間内では周知の事実だった。最近まで、ＬＩＮＥグループ内で僕を含めたいろいろな人に対して、誹謗中傷をずっと繰り返していた。人は優しさで繫がりたかった相手と繫がれないと悟ったとき、誹謗中傷や因縁をつけてでも繫がろうとする生き物なのかもしれない。すくなくとも彼はそうだった。僕にもそういう憶えがある。本当に嫌ならその場を立ち去ればいい。誹謗中傷を投げつける時点で、かまってほしくてほしくてたまらないのだ。

彼が入院している病院に数日経ってから顔を出した。高齢な両親、顔がそっくりでイケメンの弟さんもちょうど来ていた。彼はただ、静かにベッドに横になって天井をじっと見つめているだけだった。喋れるような状態ではまだなかった。事を起こす直前に彼から届いたLINEは、最近ではめずらしく誹謗中傷ではなく、一緒によく行ったラーメン屋が閉店するらしいという内容だった。ベッドの周りを取り囲む人たちの話をしばらく聞きながら、彼の顔をもう一度覗き込むと涙を流していることに気づいた。彼の母親は七十の後半くらいだと思う。ハンカチで優しく彼の涙を拭き、子どもの頃に一緒にホットケーキを作った話をし始める。弟さんはその話に笑顔を見せながら涙していた。人生はいびつで、伏線などはほとんどの場合、張られていない。ただ、そんな場面の連なりで、なんとか生きてみようかと思えるものなのかもしれない。

十一月十五日

「ほら、あの音の出るやつ！　大きい音とかが出るやつ！」という僕の問いにアシスタントが「スピーカーですか？」と答えた。最近はもうスピーカーすら出てこなくなった。

十一月十七日

食べ物には、美味しいとまずいと安心するがあると思う。「安心する」は生きていく上で一番大切な気がする。

十一月十八日

努力してもどうにもならないことがある、ということがだんだんわかってきた。道徳とか規律、倫理に反してしまう人の気持ちもだんだんわかってきた。たまにそちら側に行ったりもする。日なたと日かげを行ったり来たりしながら今日をやり過ごす。人には全部見せられない。自分でも自分に全部は責任を持てない。どうしようもないことをしたい、という欲がある。

十一月二十日

二日酔いで頭が割れた（過去形）。水すら吐いた。「だめでもいいから文字を送ってください」という内容のメールが届いた。だめでもいいから、は褒め言葉に近くないだろうか。そんなことを思ったあとにまた吐いた。

十一月二十五日

悩みにもブームってものがあると思う。ブームって必ず過ぎ去るものだとも思う。だとしたら、乗り越えなくても過ぎ去るまで待つのもひとつかもしれない。今日僕の中で一つ、ブームが去った。

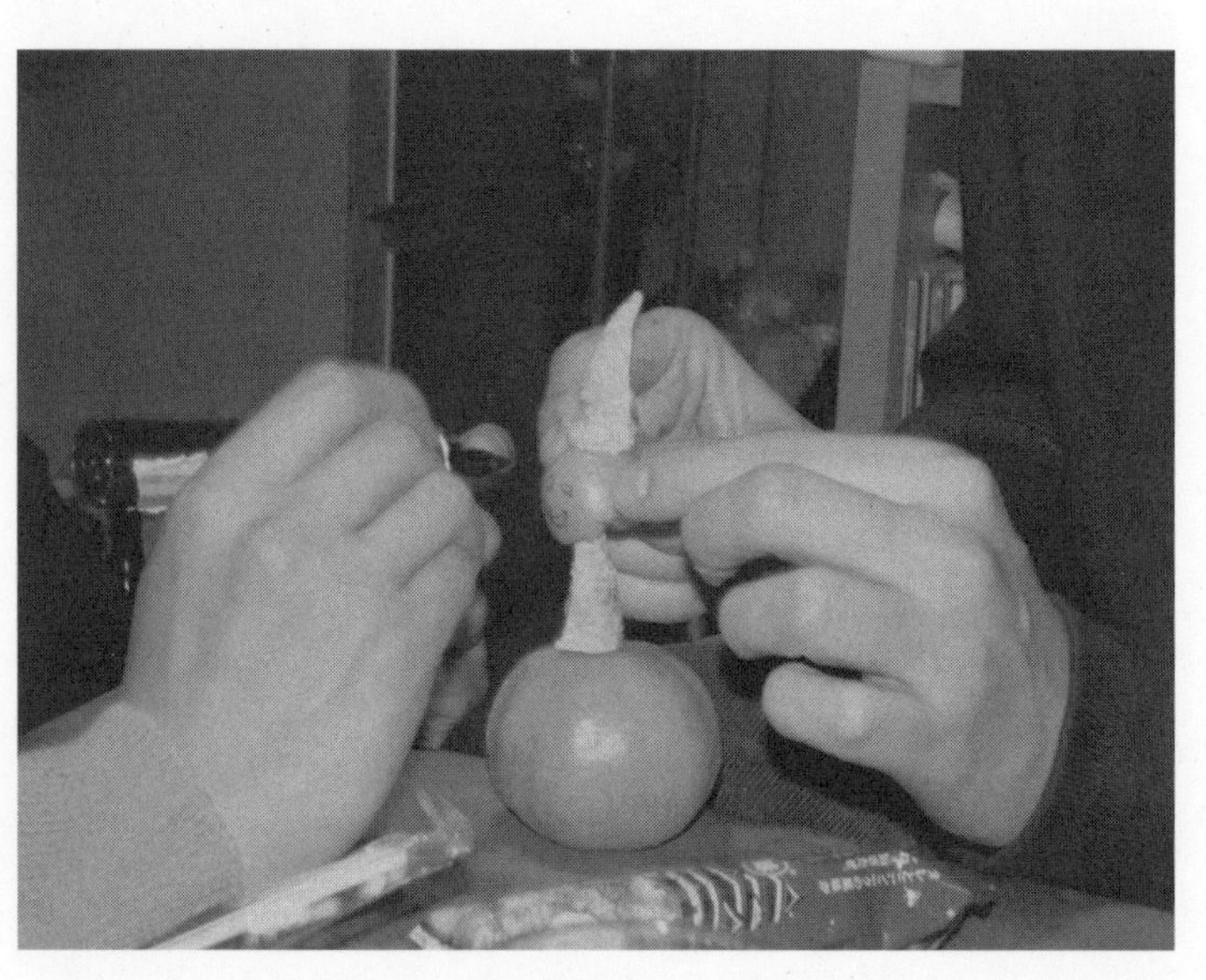

十二月二日

後輩が会社を辞めた。自分探しの旅に出るという。最近つくづく思う。人は他人探ししかできないんじゃないかと。自分を見出してくれる他人を見つけること以外できないような気がする。でもそれがすべてじゃないかもしれない。また一人見送ってしまった。

十二月三日

広告代理店の偉い人が「正常位だけでいいところを、四十八手も考えるところが人間だよね。クリエイティヴってつまりそういうことだと思うんだ」なんて言いながら、また人を煙に巻こうとしていた。

十二月三日

温泉に行きたい。別に今日突然思ったわけじゃない。すべての文章の語尾にその言葉をつけたいくらいには行きたい。

十二月九日

小学四年の時に駄菓子屋を出たところで高校生に囲まれ、「金を出せ」と言われた。その中で一番怖そうな男が「お前いくつだ?」と聞いてきたので「十歳です」と答えた。「ガキすぎるな」といって見逃してくれたことがあった。

今朝方四時くらいに、新宿の裏通りを歩いていたら、若いホスト風の男たちに囲まれた。
「お前、いくつだよ?」と聞いてきたので、「四十五です」と答えたら「おっさん過ぎて可哀想だわ」と言われて解放された。人生それでいいのか?と問われたら、「問わないでください」と返答してしまいそうになる。

十二月十三日

担当編集から「なにも書かれていないより、よっぽどいいと思います」と返信があった。やり直しということだ。赤ちゃんを見て「耳、かわいいですね」くらい褒めるところがないということだ。その前に風呂にしよう。追い炊きは優しい。

十二月十六日

十二月の半ばになったら、もう今年も終わったも同然。そう考えると五十代くらいで人生もそんな感じの気分になるのかもしれない。ただ終わったと思ってから、タラタラと続く感じも知っている。

十二月十九日

他者は自分のために生きているわけじゃない。だとしたら自分にとって完璧な親などいるわけもなく、完璧な恋人も完璧な友人も望めるわけがない。それがまずマストだ、と思わないとだんだん苦しくなってしまう。ただ生きているとそんなにキレイさっぱり割り切れるわけでもない。薄く死にたくなるときがある。心の中でなにかが壊死していく感覚に襲われる。そうなったときの解毒剤が、映画を観たり、小説を読んだり、美術館に行ったりすることなんじゃないかと思っている。違うかもしれない。ただ、紛れるなにかがないと、安全装具なしでバンジージャンプをしたくなるときがくる。備えたい。備えましょう。

十二月二十日

横浜桜木町あたりで、二十代にいくつかアルバイトをした。とにかくお金がなかった。友達もいなかった。エロいことを考え過ぎて、彼女どころか女の子と話すこともできなくなっていた。よく桜木町から関内、伊勢佐木モールをただただ歩いた。寄る店も基本的にはなかった。たまに喫茶店でコーヒーを飲むことはあった。ウエイトレスが千堂あきほにすこし似ていて、ドキドキしたのを憶えている。その店でチーズケーキを食べるのが夢だった。チーズケーキと珈琲を頼むと八百五十円した。あの頃、歩いたルートを久しぶりにひとりでぐるぐるとまわってみた。あの頃同様、街が散らかっている。建物は古い雑居ビルが多い。それがまた僕を落ち着かせる。喫茶店は健在だった。満を持して、チーズケーキと珈琲を頼んでみた。一口食べると口の中の水分が全部持っていかれた。笑えるほど不味かった。

十二月二十六日

知り合いが今日、一つ夢をあきらめた。それでも日々は続くから。すべての挫折を左折くらいに思って、また次に進むしかない。

明けないで、夜。

また窓の外が白んできた。だんだんと朝が近づいて来る。

「明けない夜はない」

本当に行き詰まったとき、人生の先輩にそう言われたことがある。ただ、僕は朝が苦手だった。

「明けないで、夜」と思ってだいたいの日々を生きてきた。朝は騒々しい。

最初に一人暮らしをしたアパートは、窓を開けると公園だった。

「隣が住居だといろいろ騒音などもありますが、公園ですと夜は静かです」

かなり太めの不動産屋はニコニコ笑いながらそう言った。たしかに夜は静かだった。

だが、早朝にラジオ体操が毎日開かれることを、不動産屋は黙っていた。体操が終わってからの老人たちのおしゃべりも、騒音と呼べるレベルだった。一度窓を開けて「うるさい！」と怒鳴りつける夢を見た。そこまで思い切った行動には移せず、夢で力尽きた。

「小説を読んでもらえませんか？」

たまに僕にもそんなメールが届く。もちろん、自分のことすらおぼつかないのに、人の小説にまでなにかを言える立場にない。丁重にお断りしようとしたら、もうファイルが届いていた。先日買った、山田太一のエッセイですら読めていないのに、知らない人の書いた小説を読む気力など残っているわけがない。やっぱり丁重にお断りしようとメールを打ち込み始めたら「できれば、来週までに感想をお願いしたいです」と、どの納期よりもキツい納期が記されていた。こうなったら仕方がない。読んでしまったほうが話が早い。腹をくくってダウンロードをして、読み始めることにした。読み始めて気づいたが、上下巻の超大作だった。まったくもって読む気が失せた。とりあえず返信はしようと思うが、すぐに返信を送ると読んでいないことがバレてしまうので、数日置いてみることにした。そしてつらつらともっともらしい感想を送ると、秒で返信がくる。先方がかなり悩んでいたのがわかって気が引けてしまい、「すみません。全部まだ読めてなくて」と本当のことを返信してしまった。すると明らかに落胆したようなトーンのメールが届いた。

「やっぱりダメですか」

「自分でも稚拙だと思っていました」

「時間を取らせてしまって申し訳ありません」


立て続けに送られてくるネガティブメールを読みながら、僕は思わず「明けない夜はないです」と安直な言葉を返してしまう。それを送ったのは、外が白んできた明け方だった。先方から「ありがとうございます、やってみます」となんとなく前向きなメールが届いた。日々は綺麗事では済まないことばかりだ。ただ、本当に行き詰まったとき、人は綺麗事のひとつも言いたくなる。

一月

一月七日

来年の今日はなにをやっているだろう。去年もそう思った気がするが。

一月八日

いつまで経ってもいい話になってくれない出来事がある。いま思い出してもため息が出る始末だ。ただ、もしそれがなかったら、いまの仕事も仲間もあの恋愛もなかったことになる。いつまで経ってもいい話にならないが、逃げた先で待っていてくれた人がいる。厄介な話だまったく。

一月十二日

すこしわがままを通そうと思った。あんまりペコペコしている場合じゃない。いままで自分なりに頑張ってきたんだから、ヘラヘラするのは控えようと思った。じゃないと踏ん張ってきた自分に失礼な気がした。

一月十四日

仕事場の電話番号も忘れてしまうのに、昔付き合ったとある女の子の電話番号は、するすると口から出てくる。いまじゃもう使われてないことも知っている。ただ単純に、彼女と会っていたとき、「はい、わたしの番号は?」とクイズを突然出されることが多かったからだ。あれはなんだったんだろう。別に意味はなくて、気分だったんだろうか。でもそのただの数字の羅列は、僕にとっては呪いになってしまった。愛とかではない。ただ憶えてしまっている。彼女と話したことはあらかた忘れてしまったのに、電話番号だけは忘れられなくなってしまった。

一月十六日

その昔、漫画喫茶で猟奇殺人事件を調べたり、桂花ラーメンで太肉麺を頼んだりして遊んでいた子が、いまはニューヨークで生活している。

SNSはほとんどの場合、人生に支障のない情報しか教えてくれない。ただたまに、心に支障をきたすようなことを教えてくれるときがある。彼女の旦那さんはスペイン出身で、ニューヨークで美容師をしているらしい。いまこの時間、彼女は部屋の掃除をしながら、宇多田ヒカルの『Never Let Go』を聴いていることをツイートした。漫画喫茶で、その曲をふたりしてよく聴いた。僕はいまこの時間、渋谷円山町の仕事場にひとりでいる。iTunesから『Never Let Go』を流してみる。聴いている間に心が支障をきたしてきた。

一月十九日

テレビの美術制作も物書きの仕事もライフラインとは関係ない。大きく分別すれば、なくても大丈夫な職業だ。なくても大丈夫な仕事だからこそ、誰かにとってあってよかったと言ってもらいたい。おこがましいか。この仕事をやってよかったと自分で思いたいのかもしれない。午前一時をすこし回った。あと二時間だけ仕事をしよう。

一月二十一日

世界はゆっくりと沈み逝くタイタニック号のようだ。逃げ惑う人々。人をかき分けボートを探す群衆。此の期に及んでまだ権力に固執する者。静かにその時を待つ大人たち。おんな、子どもから逃がそうと尽力する正義。絶望の淵で結ばれる男女。最期まで演奏を続けようとする表現者たち。

一月二十八日

箱根にいます。疲れ果てました。旅というよりバグと呼びたい。飯がマズい。しくった。

一月三十日

バグがバグを呼んで、鎌倉にいます。明日、東京に帰る予定。たぶん。

二月

二月八日

今日お会いした陶芸家の女性が、失敗した器は割らずに大切に使っていますと言っていたことが静かに衝撃だった。

二月十日

また岐路に立っている。気づいていないだけで、人は日々岐路に立っているのかもしれない。いや、自分が結構岐路に立ちがちなだけかもしれない。それにしても今回は、目に見える形で岐路に立っている。ＶＲ岐路。どちらを選んでもきっと後悔はする。どっちの後悔のほうが許せるのか、人生の岐路とはそういうものかもしれない。

二月十六日

久しぶりにヴィレッジヴァンガードに行った。昔好きだった人が「おもちゃ屋さんみたいな本屋を見つけたから行かない？」と言うから行ってみたら、やっぱりヴィレッジヴァンガードだったことがある。帰りに、「安くて美味しい餃子屋さんがあるから一緒に行きたい」と彼女は言った。そこはやっぱり王将だった。彼女ともりもり食べた王将の餃子はうまかった。

「どこに行くかじゃなくて、誰と行くかだよね」

彼女はそう言いながら、うまそうに餃子を二つ喰いしていた。

セブンスター、スパスパ

祖母の足袋が、僕の視界を行ったり来たりしていた。祖母が移動するたびにカタカタと音がするすのこは水浸しで、僕の半ズボンの尻あたりもじんわりと濡れてしまっている。僕はカウンターの中に潜り混んで、客と祖母の掛け合いを聞いているのが好きだった。

「ママ、こっちにも熱燗」

国鉄の男たちの野太い声が、狭い店内の方々からする。煙草の煙で、店は常に霞みがかっていた。祖母もセブンスターをスパスパやったあと、その吸い殻をすのこに放り投げる。吸い殻は「ジュッ」という音を立てて、哀れな姿で横たわっていた。

僕の祖母は、静岡の沼津駅北口で『ときわ』という立ち飲み屋をやっていた。JRはまだ国鉄だったし、絵に描いたようなヤクザが、夕闇の大通りを闊歩していた。あの時代がよかった、とは言い切れない。ただ、あの時代にしかなかったものが多過ぎて困る。祖母は天性のホラ吹きで、前日話していた親戚のおばさんのヨーロッパ旅行に行った話が、次の日になると熱海旅行に変わったりする人だった。僕はその祖母のホラ話が大好きだった。毎回、細かいディティールは違うし、オチもハッピーエンドからバッドエンドまで気分次第でどんどん変わっていくので、聞いていてまったく飽きない。昨日SNS村の中で「四年前と発言している内容が違ってますね」とその四年前のツイートをわざわざ画像にして貼り付け、とあるライターを追い詰めているアカウントがあった。そのいつもの殺伐としたSNS村の光景を眺めながら、僕は祖母のホラ話を思い出していた。

「いい人だったんだけどねえ」

前掛けで目元を拭う仕草までして、親戚を一人殺しては「よーくわかった。今日は献杯だ」と国鉄の男たちにボトルを入れさせる。次の日に、昨日の客とまったく被っていない頃を見計らって、今度は死んだはずだった親戚が、大出世した話を気持ちよくして「そりゃ、もう乾杯するしかないだろ！　ボトル入れてくれ」とまたまた国鉄の男たちからボトルをゲットする。僕はその様子をカウンターの下で、体育座りをしながらAMラジオを聴くように、笑いを押し殺して聞いていた。

殺伐としがちな現代で、ふとあの時代のいい加減なやり取りを思い出す。あの時代がよかった、とは言い切れない。ただ、あの時代にあったいい加減さを、一日が終わりを迎える頃になると無性に欲しくなる。

二月二十三日

ゴールデン街の外国人観光客の多さに驚く。昔好きだった人と「ゴールデン街で店を出したら、なんていう名前の店にしようか？」なんてことをよく話していた。彼女は雨が好きな人で「ＢＡＲレイニーなんてどう？」と言った。ふたりして視察だとかなんとかいって、ゴールデン街によく通ったのが懐かしい。結局、僕と彼女はつまらないことで駄目になった。そのあと十年以上経って、僕は小説を書くことになる。小説の中で主人公は、夜な夜なゴールデン街を彷徨う。たどり着いた飲み屋の名前は、やっぱり『ＢＡＲレイニー』にした。彼女のほうもそのあといろいろあって、ゴールデン街でママをやっている。外国人観光客をかきわけるようにして、彼女の働いている店に向かった。

二月二十五日

テレビの再現映像で「ごく一般的な部屋」と称された部屋がウチの部屋にそっくりだった。やはり自分は、ごく一般的なのかもしれない。そのあとに大金持ちの海外セレブが、ダイヤモンドで装飾されたスマートフォンを自慢している映像が流れた。ダイヤモンドは付いてはいたが、同じ機種だった。そこは人類皆一緒か、と意味のわからない感心をしてしまった。

二月二十七日

白か黒か。右か左か。SかMか。躁か鬱か。そうやって人はわけがちだけれど、答えはもっとグラデーションの中にある気がする。もっとにじんでいる気がする。

三月

三月一日

午前三時。カレーを煮込んでいる。カレーを煮込んでいる間は面倒を忘れられる。カレーの匂いが、ささくれ立った気持ちを弛緩させる。知り合いは時刻表を見ながら、行きもしないプランを考えているとき、面倒なことを一切忘れられると言っていた。悩みはきっとなくならない。人は基本的に悩むようにできている。危機管理能力と言い換えて、引き受けるしかないくらいに人は悩み続けるしかない。だから各々が、一旦その悩みという荷物を置くなにかを持っておくことは、生きていく上で相当大切なことだと思う。カレーを煮込みながらそう思った。

三月四日

ゴールデン街のママに「あんた、負けるならいましかないよ」と凄まれた。その言葉はどんな励ましよりも僕の背中を押してくれた。プレッシャーで負けてたまるか。負けるなら実力で負けてやる。

いつかみんな死ぬのに

知人のライターが、究極の栄養食なるものを飲んでいる。一口もらって飲んでみた。見た目は軽いゲロだった。味はゲロ以下だった。

「そこが良いんですよ」

白くて薄い胃液みたいなものをグイグイ飲み干した後に、彼はそう言った。それを夕飯にして、もう一年になるという。彼の夕飯はこの一年、常に軽いゲロということになる。

彼の究極の栄養食愛についての熱弁が終わると、同席していた編集者がおもむろに口を開いた。

「いつかみんな死ぬのに」

雷が落ちた。そこは新宿の喫茶室ルノアールだったが、雷が確実に落ちたのがわかった。隣の席のマルチの勧誘をやっていた輩にも被弾して、彼らも粉々になった。僕たちはとにかく日々そのことを忘れがちだ。

「いつかみんな死ぬのに」

Tシャツにその文言をプリントして町を歩きたい。人生の折り返し地点がいつだったかは、最後の瞬間までのお楽しみだと言われても、四十も半ばを過ぎた自分は、もうどう考えても折り返している可能性が高い。なのにふと、無限に時間があるかのように、ベッドの中でNetflixを観て終わるだけの一日がある。

気を抜くと死ぬことを忘れてしまう。馬鹿なのだ。昨日も忙しいと口では言いながら、一日中メキシコ麻薬戦争のドキュメンタリーを観て終わってしまった。

意識高い系の雑誌で「あなたは死ぬまでに、あと何回ディナーを食べられるでしょうか？」と著名な元スポーツ選手がドヤ顔で語っていた。彼曰く「だから一食も無駄にできない。ミシュラン三つ星が一番多い国、日本にいながら一食でも無駄にすることはもったいないの極みだ」らしい。

よく通っているマッサージの店は、韓国人のおばちゃんがひとりで切り盛りしている。通い始めて、もう三年以上経っている。全身を揉みしだかれながら、日本語と韓国語のチャンポンになった言葉で、ずっと話しかけられる。こっちはうつ伏せで、なんなら寝ていたい。仕方がないので「あー」とか「うん」とかテキトーな合いの手を入れる。おばちゃんは僕の合いの手など関係なく自分で話して、自分で大爆笑するのが毎回定番だ。そこは面倒だが、おばちゃんの腕は確かなので、疲れると思わず予約を入れてしまう。最近は僕の健康を心配してなのか、手作りのおにぎりと野菜スープのようなものを施術後に用意してくれている。マッサージ後に、おにぎりをムシャムシャ食べながら、おばちゃんとふたりで雑談をするまでが定番になった。

人間、栄養ばかりを気にして、軽いゲロ一辺倒はちょっと寂しい気がする。だからといって、ミシュラン三つ星一辺倒も個人的にはちょっとやりすぎな気がする。なにを食べるかより、誰と食べるか、だと思っている。あのおばちゃんもいつか死ぬのか、と思ったら悲しくなって、それをおばちゃんに伝えてしまった。するとおばちゃんがそこだけハッキリとした日本語で「アンタもいつか死ぬよ」と言った。そうだった。僕はとにかく日々そのことを忘れがちなのだ。

SevenStars

三月六日

ただ年を取るのか、それともビンテージになるか、そこなのではないかと。

三月九日

ウチに置いてある四角いソファに、まあるく器用に寝ている彼女を起こさないように、忍び足で仕事に出かけて行ったことがあった。ヘトヘトになって真夜中に帰ってくると、彼女はまだソファに丸まって眠っていた。「おかえり」と両目をつむって言う彼女を見て、僕は心の底から安心したのを憶えている。まるで猫みたいな女の子だった。いつしか猫みたいにふいに姿が見えなくなった。彼女はいま、どこで眠っているんだろうか。

三月十八日

渋谷の居酒屋ビルの最上階にあるサウナで受付をしているHは、店長に今日、不条理に怒鳴りつけられたらしい。円山町のラブホテルの清掃バイトに今夜入っているTによると、今夜は情熱的な客が多いとのこと。上野のはずれで、朝方まで肉の冷凍管理をしているGから「ヒートテックのある時代にマジで感謝」とメールが届いた。トラック運転手をしているMは、鹿児島に向かって夜通し走るらしい。Mの奥さんは雑誌の懸賞が趣味で、いままでで一番の大当たりは一眼レフカメラとのこと。深夜までやっている喫茶店で、彼らからの連絡を流し見しながら、遅刻中の編集者を待っている。

三月二十日

桜木町から野毛を抜けた辺りに、かなり大規模なソープランド街がある。美味しいもつ焼き屋もあり、すごい煙が店内から溢れ出ている。その猥雑な一角に、小さな駄菓子屋がポツンと存在する。その店でゲイラカイトを買った少年が、川沿いで父親と一緒に組み立てていた。そのあと風を読んで、ゲイラカイトを見事に上げてみせた。ベンチに座っていたホームレスのおじいさんと僕は、少年と父親に拍手を送った。

三月二十二日

人には言えないと思っていたことを、久しぶりに言ってしまった。「そうなんだ」とだけ返された。そして先方も、あまり人には言えないようなことを教えてくれた。「そうなんだ」と僕も返した。

三月二十九日

先輩に「他人なんてみんなタニシだと思えばいいんだよ」と言われた。全員タニシ。目の前みんなタニシ。自分もタニシ。人見知りするタニシ。

ミスして怒られるタニシ。仕方ないよタニシなんだから。タニシにフラれた。許せる。タニシの金持ち。うらやましくない。タニシたちに平等に春が来る。

三月三十日

終電がなくなった下北沢で「始発が来るまで座って話そうか」と自販機でジュースだけ買って、何時間も潰せたことが大昔にあった。あのとき、なんの話をしたのかまったく思い出せない。五時間くらいは話したんじゃないだろうか。どうしてそんなことができたのか、まったくわからない。今日これからトークイベントがある。持ち時間は九十分。あのとき、彼女と語り合ったあれやこれやの先に、いま僕は立っている。あれやこれやはすべて忘れてしまったけれども。

写真　草野庸子

燃え殻（もえがら）

一九七三年生まれ、神奈川県出身。小説家、エッセイスト、テレビ美術制作会社企画。デビュー作「ボクたちはみんな大人になれなかった」は連載中から大きな話題となり、二〇一七年にベストセラーになった。エッセイでも好評を博し、著書に「すべて忘れてしまうから」「夢に迷って、タクシーを呼んだ」「相談の森」がある。本年、第二弾の小説『これはただの夏』を上梓した。

断片的回顧録

二〇二一年十二月二四日　初版第一刷発行

著者　燃え殻
発行者　ミネシンゴ
編集　瀬木広哉
校閲　梅村このみ
装丁　熊谷菜生

発行所　合同会社アタシ社
神奈川県三浦市向ヶ崎町一ー一
電話　〇四六八ー七四ー八四〇四

印刷・製本　株式会社シナノ

ISBN 978-4-909713-05-6　C0095